UNE PROMESSE, C'EST UNE PROMESSE

Texte de **Robert Munsch** et **Michael Kusugak**

Illustrations de **Vladyana Krykorka**

Texte français de **Carole Freynet-Gagné**

PLAINES
www.plaines.ca

Traduction de *A Promise is a Promise*
Texte © Bob Munsch Enterprises Ltd. / Michael Arvaarluk Kusugak
Illustrations © Vladyana Krykorka
Publié en anglais en Amérique du Nord par Annick Press Ltd.
© 1988 Annick Press Ltd.

Les Éditions des Plaines remercient le Conseil des arts du Canada et le Conseil des arts du Manitoba du soutien accordé dans le cadre des subventions globales aux éditeurs et reconnaissent l'aide financière du gouvernement du Canada par l'entremise du Fonds du livre du Canada et du ministère de la Culture, Patrimoine et Tourisme du Manitoba, pour leurs activités d'édition.

Nous remercions le gouvernement du Canada de son soutien financier pour nos activités de traduction dans le cadre du Programme national de traduction pour l'édition du livre.

Traduction : Carole Freynet-Gagné
Image de la couverture : Vladyana Krykorka
Conception de la couverture et mise en page : Relish New Brand Experience
Éditrice en chef : Joanne Therrien
Éditrice déléguée : Brigitte Girardin
Révision : Lynne Therrien

Catalogage avant publication de Bibliothèque et Archives Canada
Munsch, Robert N., 1945-,
[Promise is a promise. Français]
    Une promesse, c'est une promesse / Robert Munsch & Michael
Kusugak ; illustrations de Vladyana Krykorka.

Traduction de: A promise is a promise.
ISBN 978-2-89611-412-2 (couverture souple)
    I. Krykorka, Vladyana, illustrateur II. Kusugak, Michael, auteur
III. Titre.

PS8576.U575P7614 2013   jC813'.54   C2013-904951-7

Dépôt légal, 2014 :
Bibliothèque et Archives Canada, Bibliothèque nationale du Québec et Bibliothèque provinciale du Manitoba.

PLAINES
www.plaines.ca

Éditions des Plaines
C.P. 123 Saint-Boniface (Manitoba) Canada R2H 3B4
Tél. 204 235 0078 courriel : admin@plaines.mb.ca
www.plaines.ca

Le tout premier jour ensoleillé du printemps, Allashua dit :

– Je m'en vais pêcher. Je m'en vais pêcher sur l'océan. Je m'en vais pêcher dans les crevasses de la glace.

– Ah non, répond sa mère. Ne va pas pêcher sur l'océan. Les Qallupilluits vivent sous la glace de mer. Ils enlèvent les enfants qui ne sont pas avec leurs parents. Ne va pas pêcher sur l'océan. Va à la pêche sur un lac.

– D'accord, dit Allashua. Je promets d'aller à la pêche sur un lac et non pas sur la mer. Une promesse, c'est une promesse.

Allashua se met en route vers le lac tout près de chez elle, mais, en arrivant au bout de la rue, elle change de direction. Elle descend le long du sentier enneigé qui mène à la mer.

Au bord de l'océan, la marée a cassé et empilé de gros blocs de glace, formant ainsi de grandes crevasses. Allashua examine attentivement la glace, mais ne voit pas de Qallupilluits. Elle se dit :

– À la télé, j'ai vu le père Noël, des lutins et la fée des dents, mais jamais je n'ai vu de Qallupilluit. Ma mère doit se tromper.

Mais, au cas où sa mère aurait raison, Allashua s'approche de la glace et crie :

– Les Qallupilluits ont le nez sale!

Silence. Allashua crie :

– Les Qallupilluits puent comme une carcasse de baleine en été!

Silence. Allashua met les deux pieds sur la glace et crie à tue-tête :

– Qallupilluits, Qallupilluits, vous ne pouvez pas m'attraper!

Silence. Le seul bruit qu'entend Allashua est le bruit du vent qui balaie la neige sur la glace.

Alors, Allashua sort sa canne à pêche et son hameçon. Elle s'approche d'une crevasse et lance son hameçon à l'eau. En un instant, Allashua attrape un poisson et le sort de l'eau. En fait, elle attrape six poissons de suite.

Allashua s'exclame :

– Je suis la meilleure pêcheuse du monde!

Au même moment, quelqu'un derrière elle lui répond d'une voix qui lui rappelle le bruit du vent balayant la neige sur la glace :

– *Tu peux bien être la meilleure, mais tu n'es pas la plus sage.*

Allashua se retourne. Les Qallupilluits se tiennent là, à mi-chemin entre elle et la rive. Ils la regardent et lui demandent :

– *As-tu vu l'enfant qui a dit que les Qallupilluits ont le nez sale?*

– Oh non, chers Qallupilluits. Je n'ai pas vu l'enfant dont vous parlez. De toute façon, votre nez est très joli.

– *As-tu vu l'enfant qui a dit que nous puons comme une carcasse de baleine en été?*

– Oh non, chers Qallupilluits. Je n'ai pas vu l'enfant dont vous parlez. De toute façon, vous sentez très bon, comme le parfum des fleurs en été.

– *As-tu vu l'enfant qui a crié : « Qallupilluits, Qallupilluits, vous ne pouvez pas m'attraper »?*

– Oh non, chers Qallupilluits. Je n'ai pas vu l'enfant dont vous parlez. De toute façon, ma mère dit que vous pouvez attraper tout ce que vous voulez.

– *Tu as raison,* répondent les Qallupilluits. *Nous pouvons attraper tout ce que nous voulons, et ce que nous voulons attraper maintenant, c'est toi.*

Un des Qallupilluits attrape Allashua par les pieds et l'emmène loin, loin sous la glace, là où vivent les Qallupilluits.

L'eau de mer brule le visage d'Allashua comme le feu. Allashua retient son souffle. Les Qallupilluits se rassemblent autour d'elle en chantant d'une voix qui lui rappelle le bruit du vent balayant la neige sur la glace :

> *Petit humain, petit humain*
> *Sous la glace, je te tiens.*
> *Oublie maman, oublie papa*
> *Sous la glace, tu resteras.*

D'un souffle, Allashua s'écrie :

– Mes frères et sœurs, mes frères et sœurs : je peux tous les amener près des crevasses de la glace!

L'espace d'un instant, c'est le silence total. Puis, les Qallupilluits lancent Allashua hors de l'eau, dans le vent glacial, et disent :

– *Une promesse, c'est une promesse. Va chercher tes frères et sœurs. Amène-les près des crevasses de la glace, et nous pourrons te libérer.*

Allashua se met à courir le long du sentier enneigé qui mène à sa maison. Tandis qu'elle court, ses vêtements mouillés commencent à geler et son pas ralentit petit à petit jusqu'à ce qu'elle s'écroule par terre. C'est là que le père d'Allashua la trouve, non loin de la porte de derrière, gelée comme un glaçon dans la neige.

Le père d'Allashua pousse un grand cri, prend sa petite dans les bras et l'amène dans la maison. Il s'empresse de lui retirer ses vêtements glacés et l'allonge dans son lit. Puis, le père et la mère se glissent sous les couvertures et entourent Allashua de leurs bras jusqu'à ce qu'elle se réchauffe. Une heure plus tard, Allashua ouvre les yeux et demande du thé chaud. Elle boit dix tasses de thé bien chaud et bien sucré et dit :

– Je suis allée près des crevasses de la glace, sur l'océan.

– Oh, oh! dit sa famille. Ça, ce n'est pas très brillant.

– J'ai dit des choses méchantes aux Qallupilluits.

– Oh, oh! dit sa famille. Ça, ce n'est vraiment pas brillant.

– J'ai promis d'amener mes frères et sœurs près des crevasses de la glace. J'ai promis qu'ils viendraient tous rencontrer les Qallupilluits.

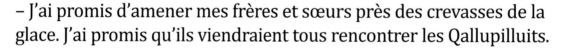

– Oh, oh! dit sa famille, une promesse, c'est une promesse.

Sa mère et son père vont alors préparer du thé et le boivent en silence. Ils ne disent pas un mot pendant un long moment.

De l'autre côté du sentier enneigé qui mène à la mer, les Qallupilluits se mettent à crier :

– *Une promesse, c'est une promesse. Une promesse, c'est une promesse. Une promesse, c'est une promesse.*

La mère d'Allashua se tourne vers ses enfants et leur dit :

– J'ai une idée. Faites exactement ce que je vous dis : quand je commencerai à danser, suivez tous Allashua près des crevasses de la glace, sur l'océan.

Les enfants s'interrogent alors à voix basse :

– Hummm, pourquoi maman va-t-elle danser? Ce n'est vraiment pas le temps de danser.

La mère d'Allashua ouvre la porte de derrière et crie :

– Qallupilluits, Qallupilluits, venez me parler.

Aussitôt, voilà les Qallupilluits qui sortent des crevasses de la glace et parcourent le sentier enneigé menant à la porte de derrière. C'est étrange : jamais les Qallupilluits ne s'étaient éloignés de l'océan.

Le père et la mère d'Allashua se mettent à pleurer et à gémir et demandent aux Qallupilluits de relâcher leurs enfants. Mais les Qallupilluits répondent :

– *Une promesse, c'est une promesse.*

Le père et la mère supplient et implorent et demandent aux Qallupilluits de leur rendre leurs enfants. Mais les Qallupilluits répètent :

– *Une promesse, c'est une promesse.*

Enfin, la mère d'Allashua dit :

– Qallupilluits, vous avez des cœurs de glace, mais une promesse, c'est une promesse. Entrez et joignez-vous à nous pendant que nous faisons nos adieux.

Ils entrent alors tous dans la maison. La mère commence par donner du pain à ses enfants. Elle dit aux Qallupilluits :

– Ça, ce n'est pas pour vous.

Mais les Qallupilluits répondent :

– *Mais nous aussi, nous en voulons.*

La mère donne alors du pain aux Qallupilluits, et ils le trouvent délicieux. Puis, la mère donne à chacun de ses enfants un bonbon. Elle dit aux Qallupilluits :

– Ça, ce n'est pas pour vous.

Mais les Qallupilluits répondent :

– *Mais nous aussi, nous en voulons.*

La mère donne alors des bonbons aux Qallupilluits et bien sûr, ils les trouvent délicieux.

Ensuite, le père se met à danser. Il dit aux Qallupilluits :

– Ça, ce n'est pas pour vous.

Les Qallupilluits répondent :

– *Nous n'avons jamais dansé. Nous voulons danser.*

Alors, ils se mettent tous à danser. Au début, ils dansent lentement, puis rapidement. Et puis, ils se mettent à sauter, à crier et à danser follement. Les Qallupilluits aiment tellement danser qu'ils en oublient les enfants.

Finalement, la mère, elle aussi, se joint à la danse. Lorsque les enfants voient leur mère danser, ils sortent de la maison à quatre pattes et courent à toute vitesse le long du sentier enneigé qui mène à la mer. Lorsqu'ils arrivent aux crevasses, Allashua dit à voix basse :

– Qallupilluits, Qallupilluits, nous voici.

Silence.

Puis tous les enfants disent :

– Qallupilluits, Qallupilluits, nous voici.

Silence.

Enfin, tous les enfants crient à tue-tête :

– Qallupilluits, Qallupilluits, nous voici!

Silence. Ils retournent alors tous au rivage et s'assoient sur un grand rocher près de la plage.

Deux minutes plus tard, les Qallupilluits s'élancent sur le sentier à grands cris avant de plonger dans les crevasses de la glace. Allashua se met debout sur le rocher et leur dit :

– Je vous ai fait une promesse et je l'ai tenue. J'ai amené mes frères et sœurs près des crevasses de la glace, mais vous n'étiez pas là. Une promesse, c'est une promesse.

Les Qallupilluits se mettent alors à hurler et à rugir et frappent la glace de leurs talons jusqu'à ce qu'elle casse. Ils supplient et implorent et demandent à récupérer les enfants. Mais Allashua répond :

– Une promesse, c'est une promesse.

Les Qallupilluits, furieux, plongent au fond de l'eau en emportant leurs crevasses, laissant la glace de mer parfaitement lisse.

Quelques instants plus tard, le père et la mère arrivent par le long sentier enneigé. Ils enlacent et embrassent chacun des enfants, même Allashua. Le père regarde la glace lisse comme un miroir et dit :

– Nous viendrons pêcher ici, car les Qallupilluits ont promis de ne jamais attraper les enfants qui sont avec leurs parents et une promesse, c'est une promesse.

Ensemble, ils s'en vont alors pêcher et s'amusent beaucoup, sauf Allashua. Après avoir été si proche des Qallupilluits, elle peut encore les entendre chanter d'une voix qui lui rappelle le bruit du vent balayant la neige sur la glace :

> *Petit humain, petit humain*
> *Sous la glace, je te tiens.*
> *Oublie maman, oublie papa*
> *Sous la glace, tu resteras.*

FIN

Un Qallupilluit est une créature inuite imaginaire qui vit dans la baie d'Hudson. Ressemblant un peu à un troll, il est vêtu d'un parka pour femmes fait de plumes de huard et capture les enfants lorsqu'ils s'approchent des crevasses de la glace.

Comme les Inuits passent traditionnellement beaucoup de temps sur la glace de mer, le Qallupilluit a manifestement été créé pour protéger les jeunes enfants en les gardant loin de ces dangereuses crevasses.

En s'inspirant de son enfance dans l'Arctique, Michael Kusugak a imaginé une histoire au sujet de sa propre rencontre avec les Qallupilluits. Il l'a fait parvenir à Robert Munsch, qui avait été hébergé par la famille de Michael lors d'un séjour à Rankin Inlet (T.N.-O.). *Une promesse, c'est une promesse* est le fruit de leur collaboration.